L'ÉNERGIE SOLAIRE

Illustrations de
Ron Hayward Associates
Conseiller: Stewart Boyle

La photo de couverture est une vue de la surface du Soleil, réalisée grâce aux rayons infrarouges. Les diverses teintes indiquent les différences de température.

L'édition originale de cet ouvrage
a paru sous le titre: *Solar Power*

Adaptation française de F. Carlier

D/1986/0195/5
ISBN 2-7130-0726-7
(édition originale: ISBN 086313 307X)

Exclusivité au Canada:
Les Éditions Héritage Inc., 300, avenue Arran,
Saint-Lambert, Qué. J4R 1K5
Dépôts légaux, 1er trimestre 1986
Bibliothèque nationale du Québec
Bibliothèque nationale du Canada
ISBN 2-7625-5000-9

Imprimé en Belgique

Origine des photographies:
Couverture: McClancy Collection / NASA; pages 4-5, Tony Stone Associates; pages 6-7, 21 et 22, Frank Spooner; pages 9 et 10, Friends of the Earth; pages 12, 19 et 25, Zefa; pages 15 et 17: Sandia Laboratories; page 23: SERI.

DÉCOUVRONS L'ÉNERGIE

Robin McKie

Adaptation française de
François Carlier

ÉDITIONS GAMMA — ÉDITIONS HÉRITAGE INC.

Introduction

Notre vie dépend de l'énergie : nous en avons besoin pour chauffer nos maisons, pour produire de l'électricité, et pour voyager sur terre, sur mer et par air.

La plupart de l'énergie nous vient du Soleil. Par exemple, le charbon provient d'anciennes plantes, qui ont eu besoin de la lumière et de la chaleur du Soleil pour croître. Les rayons solaires peuvent également servir à produire directement de l'électricité et de nouveaux types de combustibles. Tous ces emplois de l'énergie solaire sont actuellement étudiés et développés. Les régions isolées qui ne disposent pas encore d'électricité pourront bientôt recourir à ces procédés nouveaux d'emploi de l'énergie solaire.

Le Soleil : une température de 15 millions de degrés Celsius

Sommaire

L'énergie qui vient du Soleil

Il existe diverses façons de capter l'énergie des rayons solaires. Dans le système de chauffage « passif », des maisons sont construites de façon à recevoir abondamment la chaleur solaire et à la retenir efficacement. Dans le système « actif », les rayons solaires sont recueillis et concentrés par des appareils de captage spéciaux, tels que les grands miroirs ci-dessous, et leur chaleur est employée à divers usages, par exemple pour chauffer de l'eau ou produire de l'électricité.

L'énergie solaire est gratuite et inépuisable. Quantité de personnes pourraient l'utiliser pour satisfaire leurs besoins d'énergie, dans les pays riches comme dans ceux en voie de développement.

Un groupe de réflecteurs solaires, dans le désert de Californie (États-Unis)

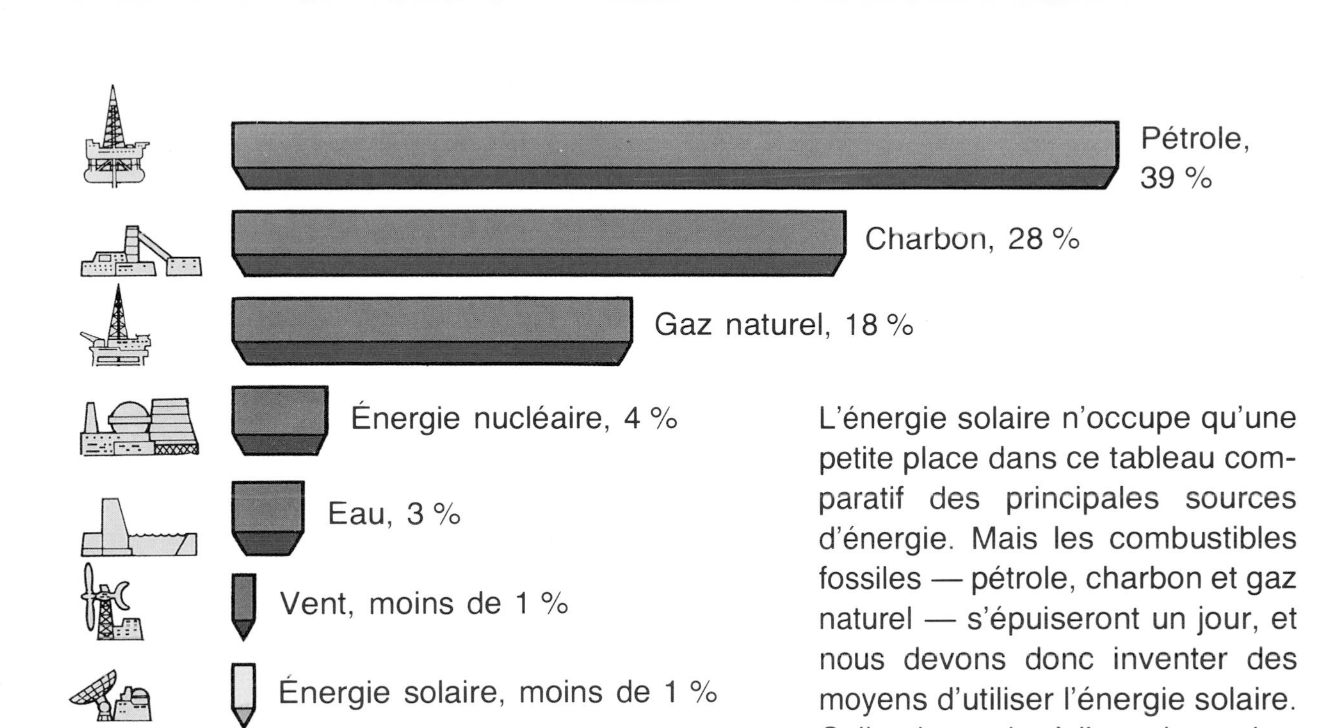

L'énergie solaire n'occupe qu'une petite place dans ce tableau comparatif des principales sources d'énergie. Mais les combustibles fossiles — pétrole, charbon et gaz naturel — s'épuiseront un jour, et nous devons donc inventer des moyens d'utiliser l'énergie solaire. Celle-ci prendra à l'avenir une importance croissante.

Les maisons solaires

Les maisons qui captent la chaleur solaire ne sont pas une invention récente. Les anciens Grecs et Romains chauffaient déjà leurs maisons de cette façon. De nombreuses maisons modernes sont conçues pour capter au maximum les rayons solaires : ceux-ci chauffent directement les pièces de la maison et assurent aussi la production d'eau chaude.

Les maisons du dessin ci-dessous et de la photo de droite ont de grandes fenêtres pour laisser entrer beaucoup de rayons solaires. Leurs murs et sols sont faits de grosses briques qui gardent la chaleur : elles tiennent la maison chaude durant la nuit, même quand la température extérieure baisse.

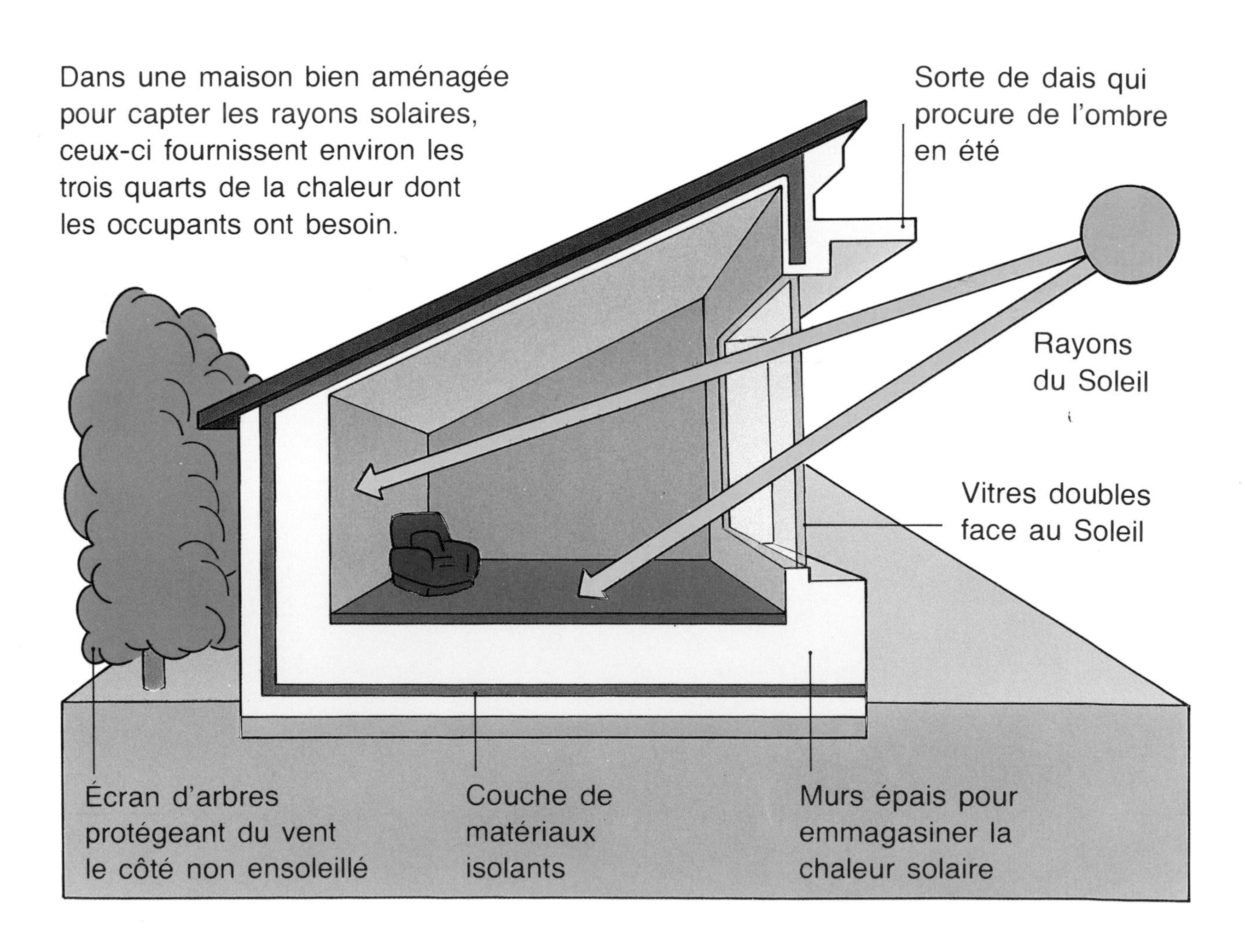

Les fenêtres sont munies d'un double vitrage, qui laisse entrer la chaleur des rayons solaires, mais l'empêche de ressortir. Les murs et les plafonds contiennent une couche épaisse de matériaux isolants qui gardent l'air chaud dans la maison.

Le côté nord de la maison est protégé du froid par une rangée d'arbres. Pour éviter un excès de chaleur en été, le côté exposé au Soleil est muni d'une sorte de dais qui ombrage une partie du vitrage. De telles « maisons solaires » fonctionnent bien dans des pays pourtant assez froids, comme la Suède. Mais les maisons ordinaires, sans aménagement spécial, retirent déjà 15 pour cent de leur chaleur du Soleil.

Les capteurs solaires

Certaines personnes installent un capteur solaire très simple dans le toit de leur maison : ils enlèvent quelques tuiles et les remplacent par une plaque de verre ou de plastique. Celle-ci fait entrer la chaleur dans le grenier, et son air chauffé est envoyé par des ventilateurs dans toute la maison. Mais il faut que les fentes autour des fenêtres, sources de courants d'air, aient d'abord été bouchées.

D'autres équipements assez simples permettent d'économiser l'énergie dans une maison : par exemple un interrupteur automatique qui coupe l'éclairage et le chauffage et débranche les appareils électriques quand leur emploi n'est pas nécessaire.

Des capteurs plans, pour économiser l'électricité du réseau

Même les maisons ordinaires peuvent utiliser l'énergie solaire, grâce à l'installation d'un appareil simple de captage « actif », appelé capteur plan.

Un tel capteur solaire doit être installé sur le toit, face au Soleil. C'est une boîte rectangulaire dont le fond est peint en noir, teinte qui absorbe le mieux la chaleur des rayons solaires. La boîte est fermée par une vitre, qui laisse entrer les rayons et retient leur chaleur à l'intérieur. Un réseau de tuyaux fait passer de l'eau froide dans la boîte : elle y est chauffée et emporte la chaleur en sortant. Cette eau chaude peut servir à la cuisine, aux vaisselles et aux lessives, et aussi à chauffer les pièces de la maison.

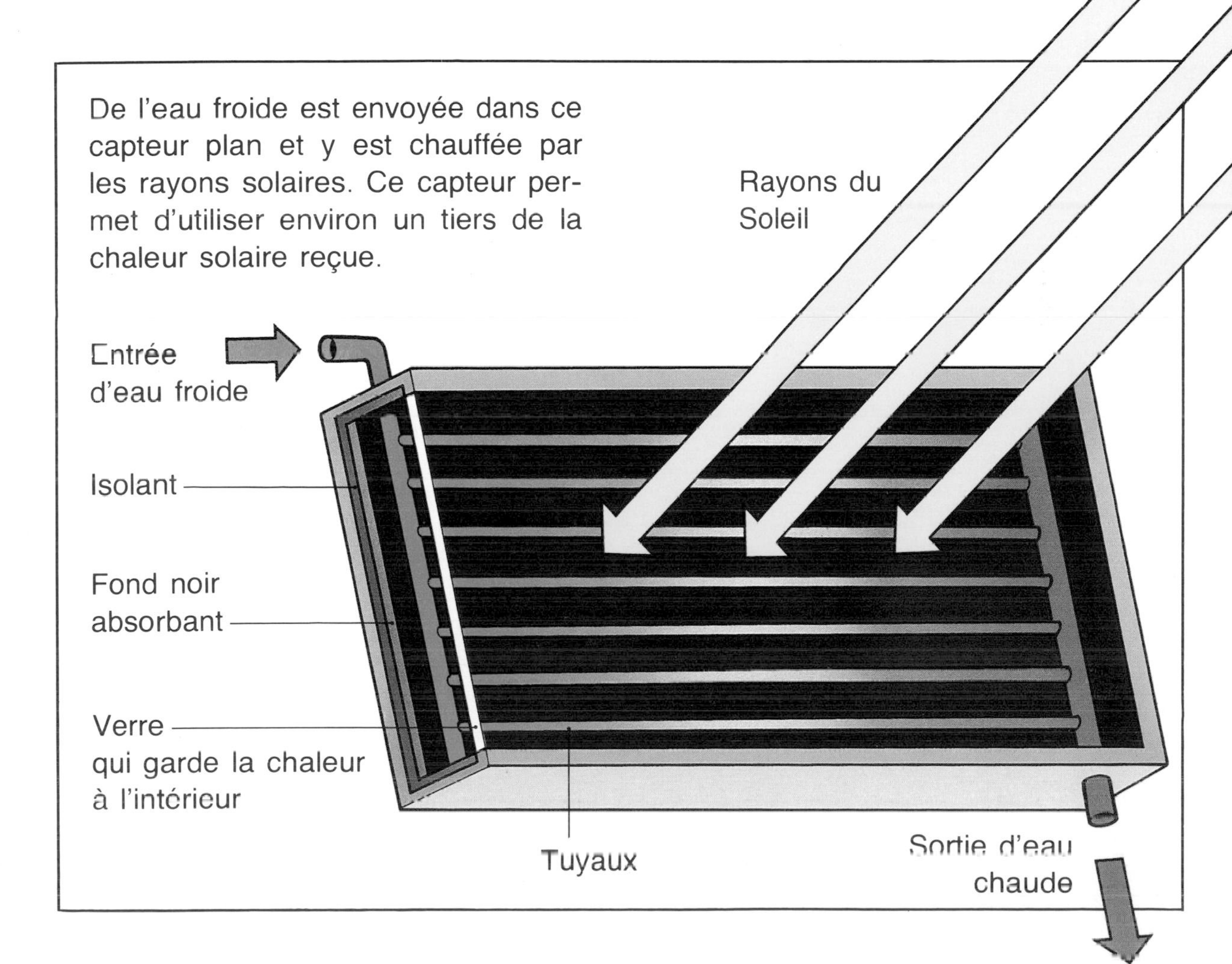

De l'eau froide est envoyée dans ce capteur plan et y est chauffée par les rayons solaires. Ce capteur permet d'utiliser environ un tiers de la chaleur solaire reçue.

Les collecteurs orientables

Les collecteurs à miroir peuvent produire des températures beaucoup plus élevées que les capteurs plans. Ils sont orientables et peuvent être dirigés vers le Soleil durant tout son parcours dans le ciel. Le moteur qui les oriente de façon automatique peut lui-même être actionné par l'énergie solaire.

Ce chalet suisse est équipé d'un tel collecteur orientable. Son grand réflecteur a la forme d'une auge ou d'un abreuvoir; son miroir à courbe parabolique réfléchit les rayons solaires en les concentrant sur un long tube placé devant lui et destiné à absorber la chaleur. De l'eau (ou un autre liquide) circule dans ce tube et peut être chauffée à la température de 300°C, en raison de la chaleur concentrée par l'action du miroir. L'eau très chaude qui sort du tube sert au chauffage ou à la production de vapeur.

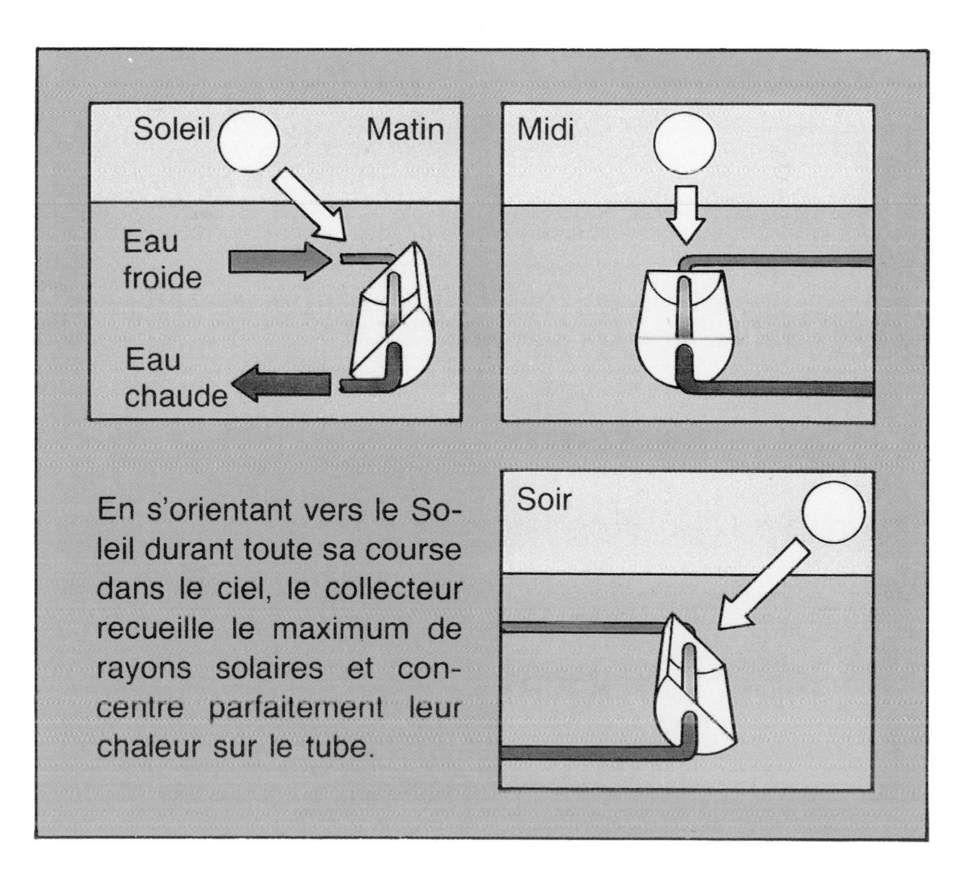

En s'orientant vers le Soleil durant toute sa course dans le ciel, le collecteur recueille le maximum de rayons solaires et concentre parfaitement leur chaleur sur le tube.

Collecteurs en forme de bol

Le grand collecteur circulaire et creux de la photo ci-contre utilise la chaleur des rayons solaires pour produire de la vapeur, qui sert à faire de l'électricité. Son miroir à courbe parabolique concentre les rayons devant lui, en un point central et unique.

Ce collecteur s'oriente exactement vers le Soleil, tout au long de sa course dans le ciel. Il concentre les rayons vers un miroir placé devant lui, et celui-ci les réfléchit à travers une ouverture aménagée dans le milieu du collecteur. Les rayons concentrés aboutissent sur un circuit fermé contenant un liquide qu'ils échauffent. Celui-ci passe dans l'eau du bouilleur pour la faire bouillir. La vapeur produite fait tourner une turbine qui entraîne une génératrice, et celle-ci produit de l'électricité. La vapeur qui sort de la turbine est refroidie et redevient de l'eau dans le condenseur.

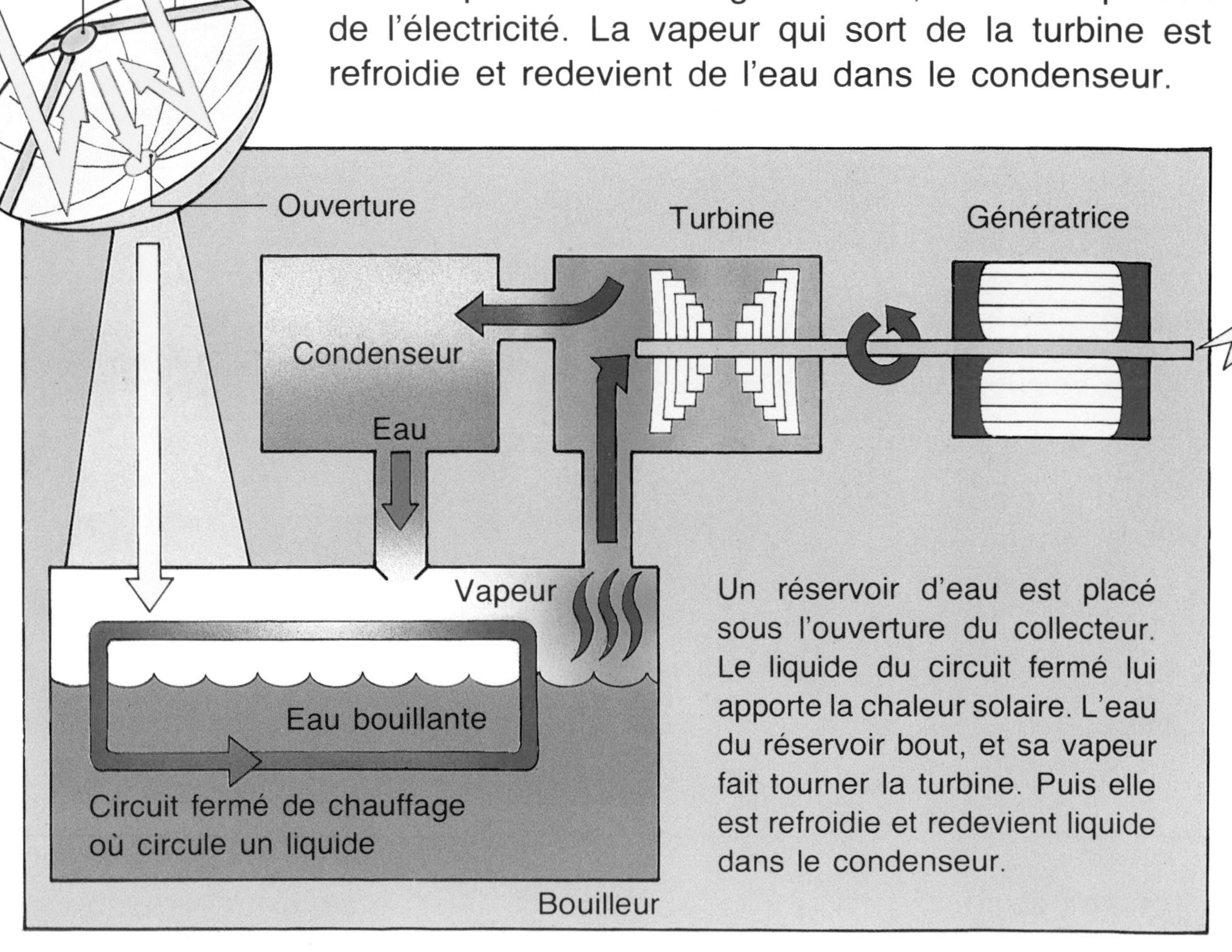

Un réservoir d'eau est placé sous l'ouverture du collecteur. Le liquide du circuit fermé lui apporte la chaleur solaire. L'eau du réservoir bout, et sa vapeur fait tourner la turbine. Puis elle est refroidie et redevient liquide dans le condenseur.

Centrales à miroirs

Dans une centrale de ce type, des centaines ou parfois des milliers de miroirs renvoient et concentrent les rayons solaires vers un récipient contenant un liquide à chauffer, placé d'ordinaire sur une tour. Une des plus grandes centrales de ce genre, construite dans un but expérimental, se trouve dans le Nouveau-Mexique (États-Unis) : elle comporte 1 775 miroirs, qui renvoient les rayons solaires vers un récepteur placé sur une tour de 60 mètres de haut.

Mais les centrales à miroirs produisent le plus d'électricité lorsque le temps est ensoleillé, quand précisément on a besoin de moins d'électricité. Une quantité d'électricité est dès lors perdue, car il faut la changer en chaleur qu'on stocke, et retransformer ensuite celle-ci en électricité.

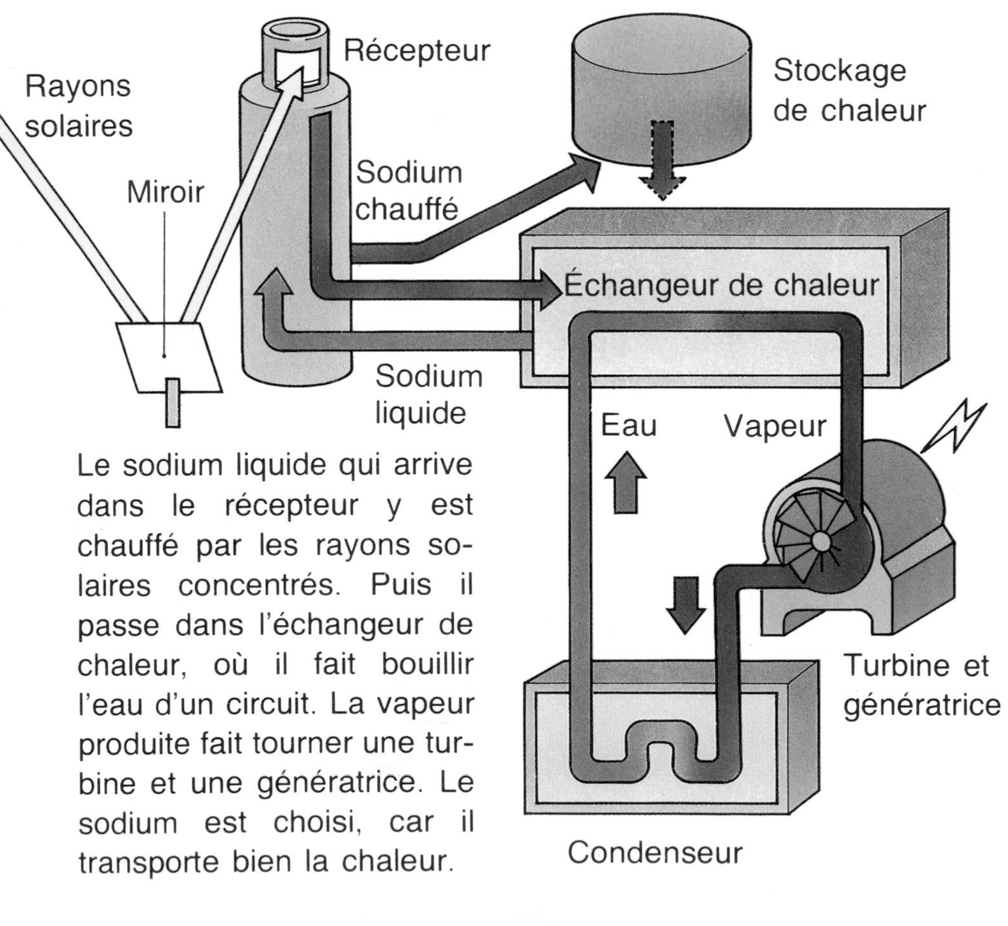

Le sodium liquide qui arrive dans le récepteur y est chauffé par les rayons solaires concentrés. Puis il passe dans l'échangeur de chaleur, où il fait bouillir l'eau d'un circuit. La vapeur produite fait tourner une turbine et une génératrice. Le sodium est choisi, car il transporte bien la chaleur.

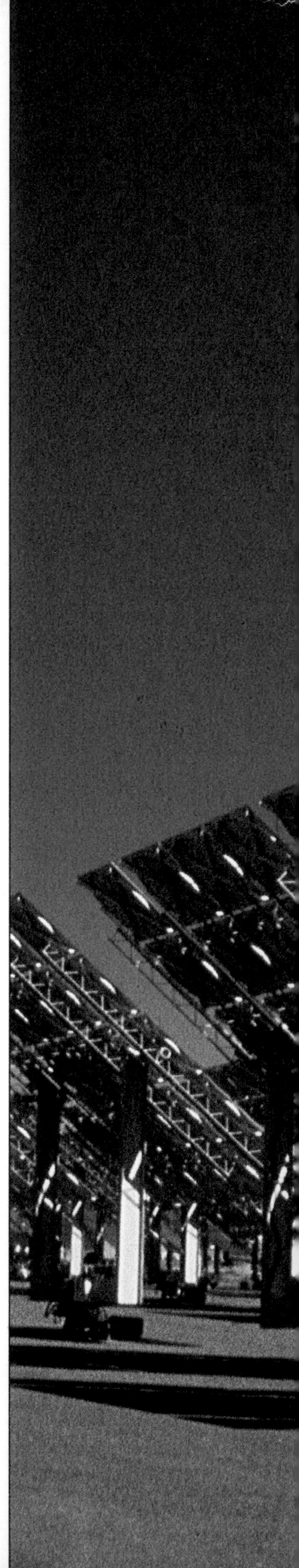

La centrale à miroirs d'Albuquerque (États-Unis) a une puissance de 5 mégawatts (5 000 kilowatts)

Le four solaire

Un grand four solaire expérimental a été construit en France, dans les Pyrénées. Il est établi en altitude, pour éviter les fumées et l'air pollué, et pour recevoir les rayons solaires dans toute leur force.

Ces rayons tombent sur 63 miroirs orientables, disposés sur des terrasses, et ils sont dirigés par eux vers un grand réflecteur formé de 9 500 miroirs. Celui-ci renvoie les rayons en les concentrant sur le four solaire, placé devant lui sur une tour. Les miroirs orientables, les héliostats, suivent la course du Soleil.

Dans le four solaire, la température peut atteindre 3 500°C. Elle permet de fondre les métaux, de traiter des matières réfractaires et d'effectuer des expériences et des combinaisons chimiques avec certains éléments rares. Le travail de recherche effectué grâce à ce four solaire a été très utile pour la réalisation du programme spatial français.

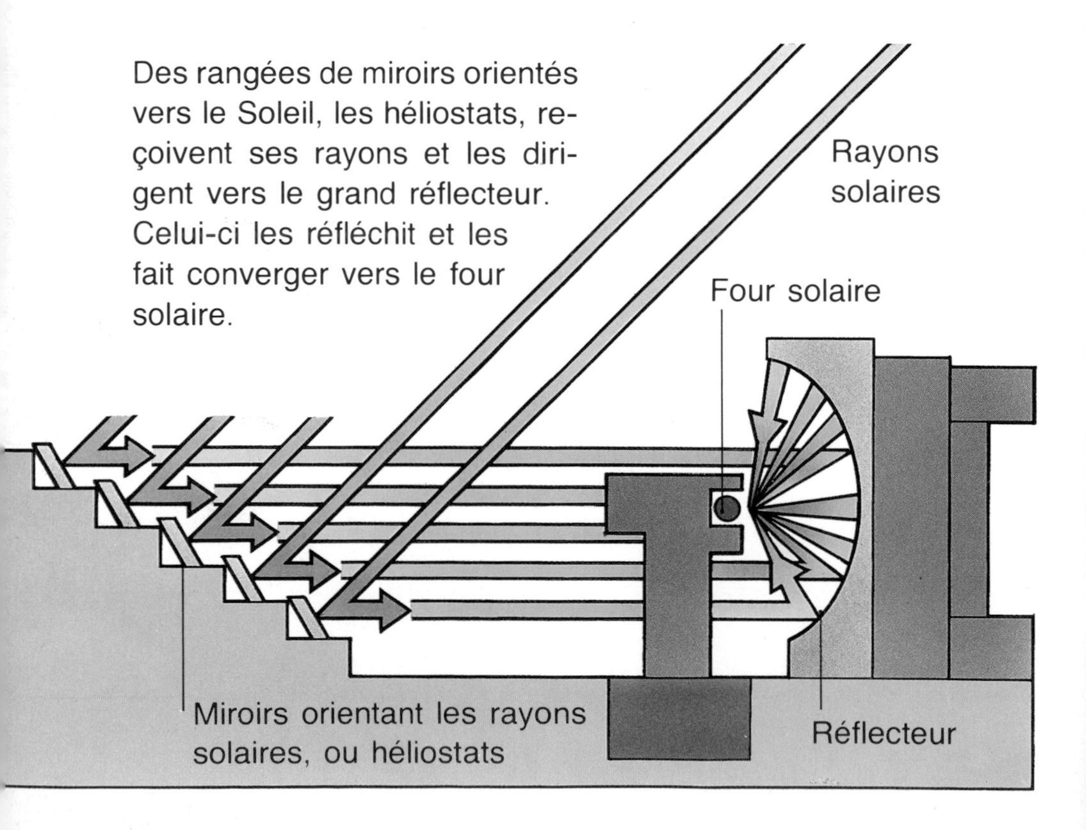

Des rangées de miroirs orientés vers le Soleil, les héliostats, reçoivent ses rayons et les dirigent vers le grand réflecteur. Celui-ci les réfléchit et les fait converger vers le four solaire.

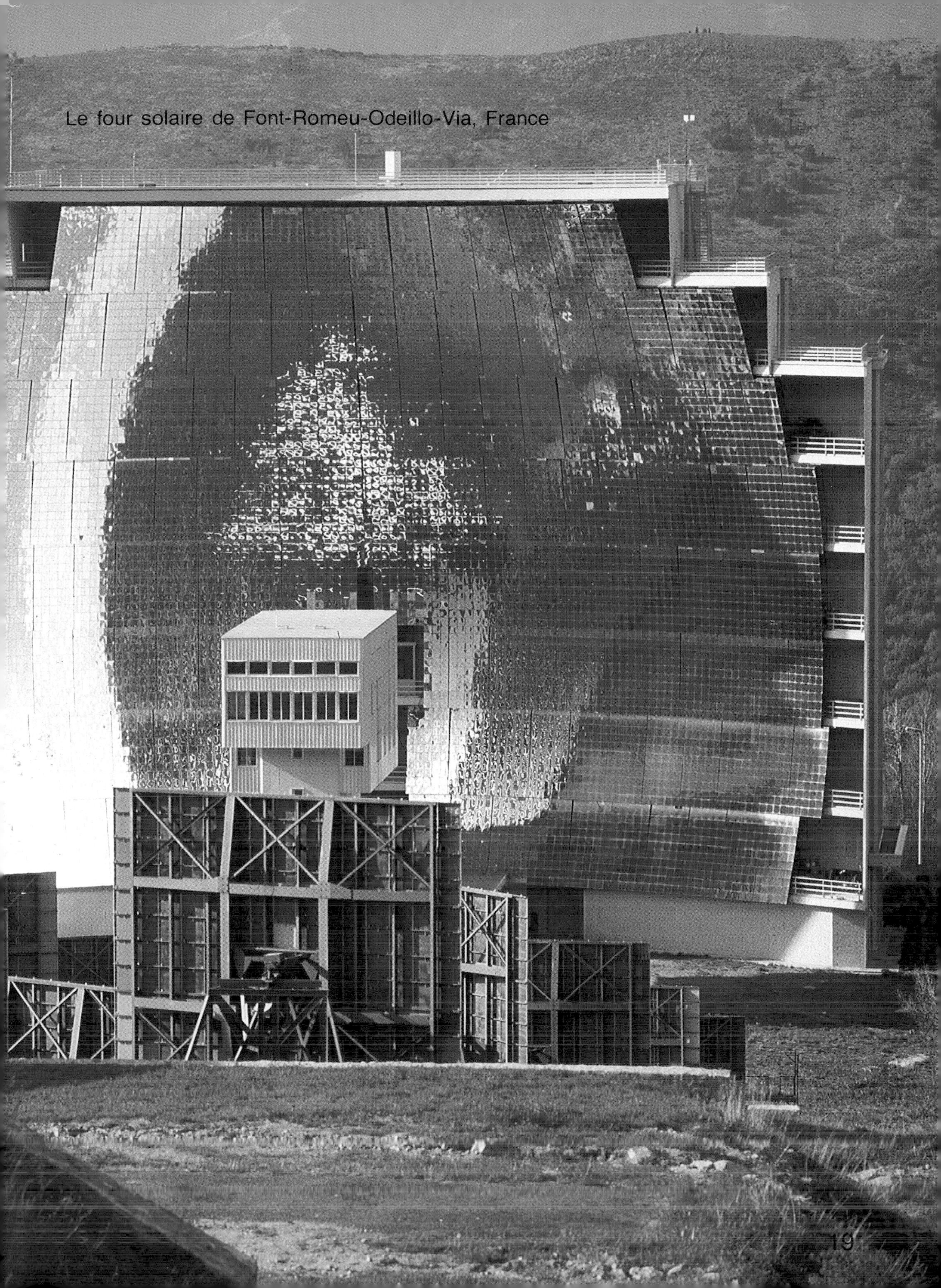

Le four solaire de Font-Romeu-Odeillo-Via, France

Les cellules solaires

De petites plaquettes de silicium, recouvertes de produits chimiques spéciaux, sont les éléments de base des cellules solaires ou photopiles. Celles-ci captent les rayons solaires et transforment directement leur énergie en électricité.

Lorsque la lumière solaire tombe sur une telle cellule, elle y déplace de minuscules particules électriques, les électrons, et les fait circuler dans la couche de produits chimiques qui couvre la surface : cela produit un faible courant électrique. Les cellules solaires transforment environ un sixième de l'énergie qu'elles reçoivent en énergie électrique utilisable. Quand de nombreuses cellules solaires sont reliées entre elles, elles additionnent leur énergie et fournissent un courant électrique puissant. La photo ci-contre montre les grands panneaux de cellules solaires d'une centrale électrique du Nouveau-Mexique.

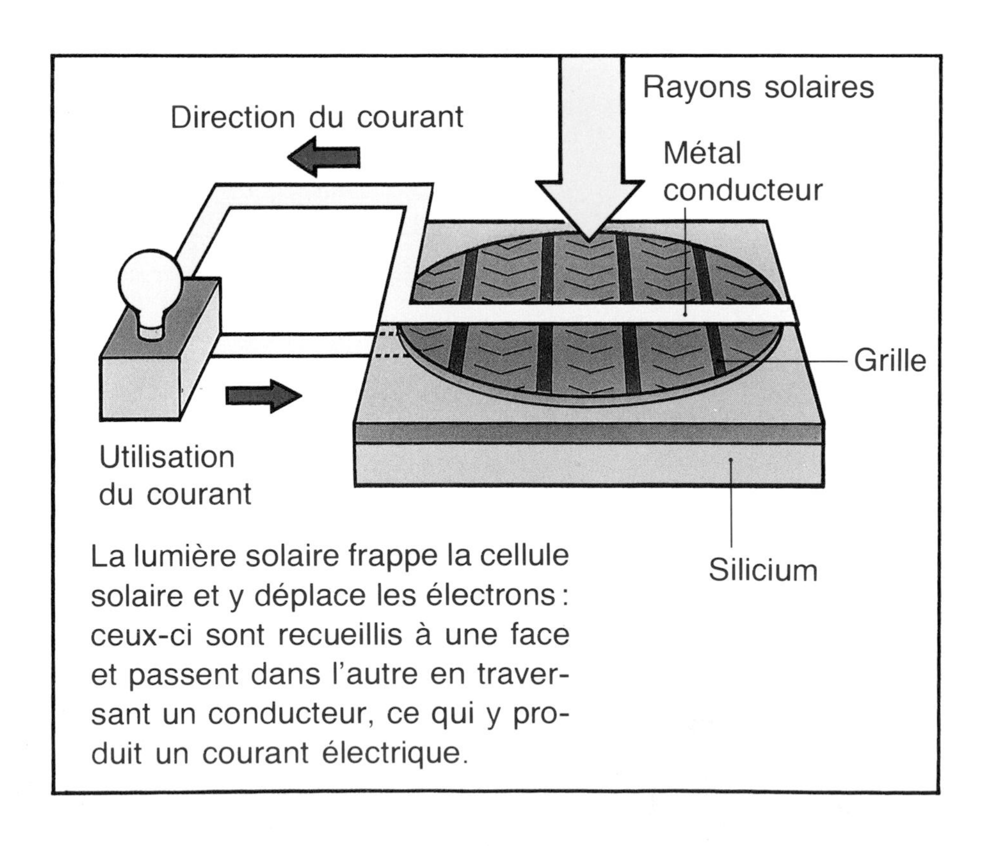

La lumière solaire frappe la cellule solaire et y déplace les électrons : ceux-ci sont recueillis à une face et passent dans l'autre en traversant un conducteur, ce qui y produit un courant électrique.

Les transports

Sais-tu que les cellules solaires peuvent être utilisées pour actionner divers moyens de transport, comme des bateaux, des bicyclettes et des avions ?

Un avion mû par l'énergie solaire, le *Solar Challenger*, effectua une traversée de la Manche en 1981, la première réalisée par un appareil de ce type. Ses photopiles avaient été prêtées par la NASA.

Les cellules solaires fonctionnent très bien dans l'espace. Le Soleil y luit en effet sans interruption, et il n'y a pas de nuages pour arrêter ses rayons. Les grands panneaux de cellules solaires d'un engin spatial, déployés complètement, peuvent produire un courant électrique d'une puissance de 4 000 kilowatts.

L'avion *Solar Challenger* recevait son énergie de 16 000 cellules solaires, qui étaient collées à la surface de ses ailes et de son plan arrière.

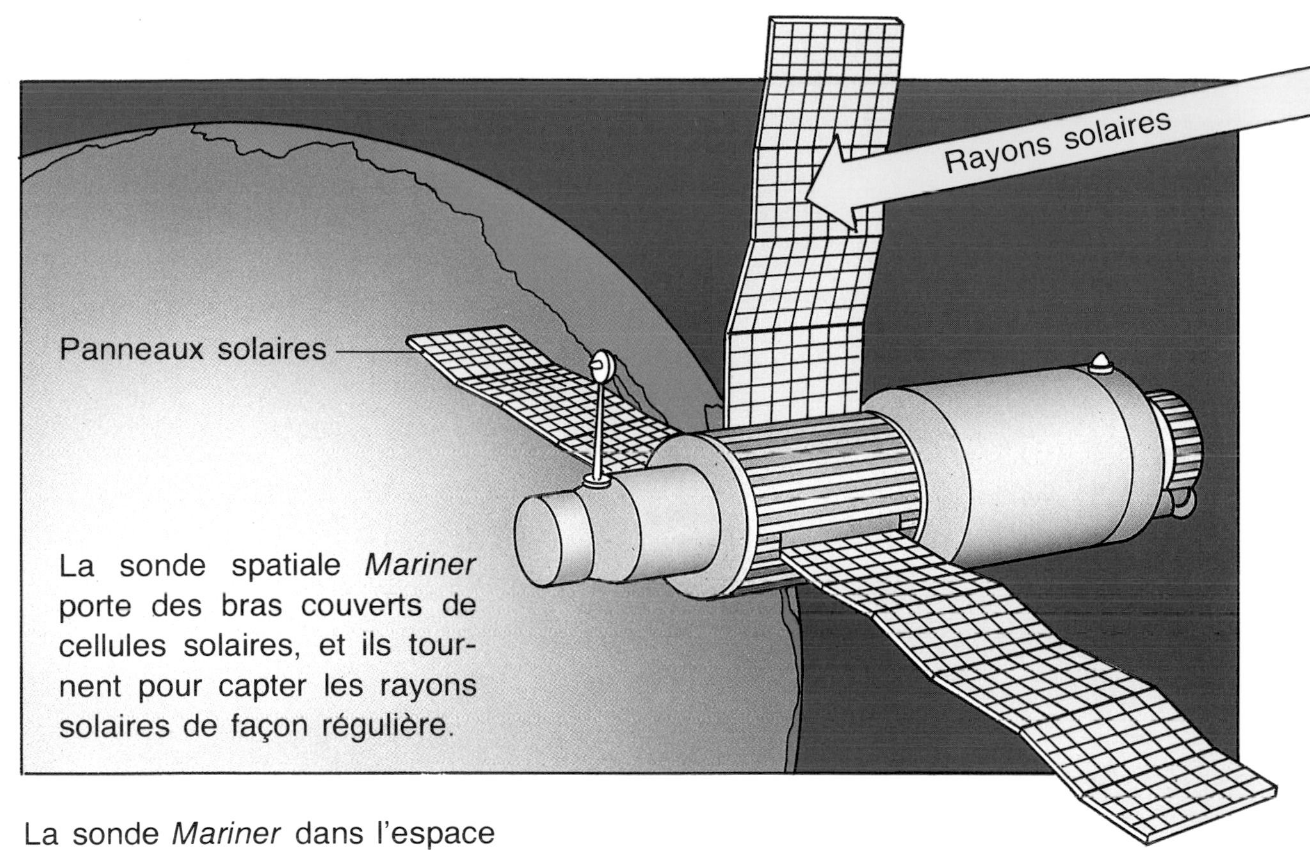

La sonde *Mariner* dans l'espace

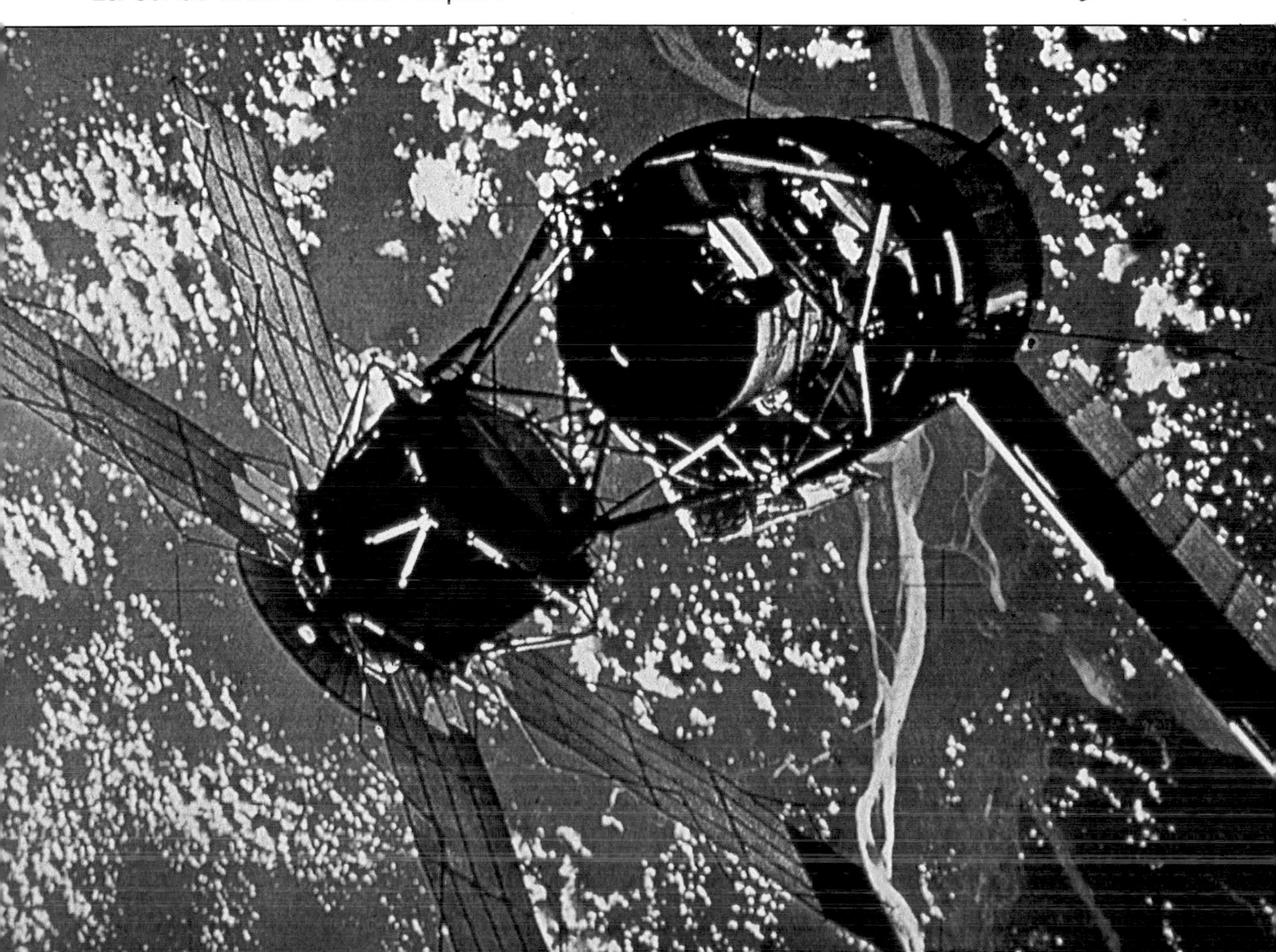

Les bassins solaires

La chaleur des rayons solaires peut également être captée par des « bassins solaires » spéciaux. Ils ont des côtés inclinés et un fond plat peint en noir, et sont remplis d'eau très salée qui absorbe la chaleur.

Le sel descend vers le fond du bassin, et l'eau la plus salée se trouve donc près du fond noir. Les rayons solaires traversent l'eau du bassin, et leur chaleur est captée par l'eau la plus salée, proche du fond noir qui absorbe les rayons : cette eau peut atteindre la température de 90°C, lorsque les rayons solaires sont intenses. La chaleur de cette eau peut être employée.

L'eau salée chaude du fond du bassin est envoyée dans un bouilleur : elle y chauffe et fait bouillir un liquide, et la vapeur produite actionne une turbine. La vapeur qui sort de la turbine est refroidie dans le condenseur, par un tuyau qui amène l'eau froide de la surface du bassin : la vapeur redevient un liquide et celui-ci retourne dans le bouilleur.

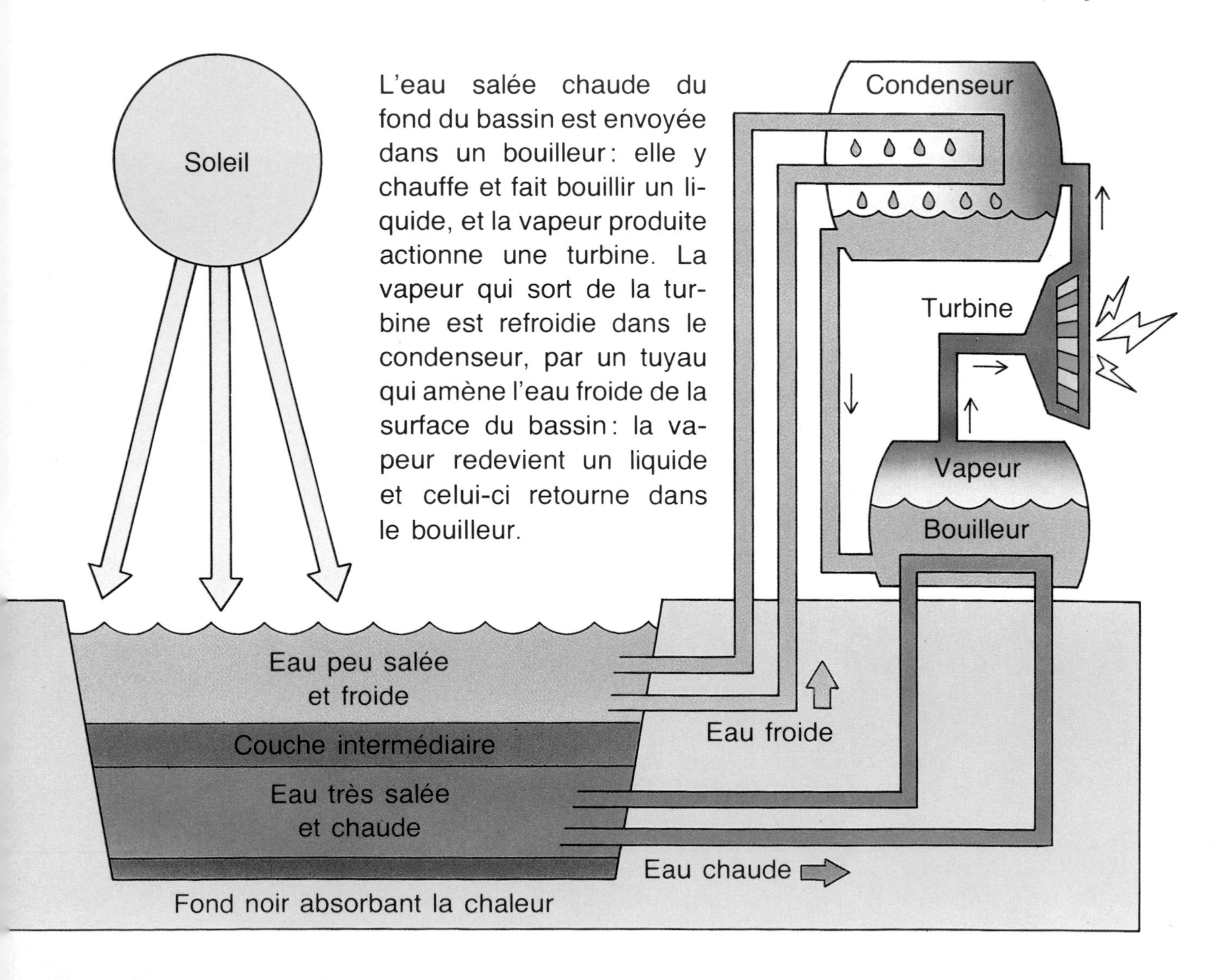

Il sera possible d'utiliser à l'avenir les océans comme de gigantesques récepteurs d'énergie solaire. Dans les régions chaudes, l'eau des océans peut atteindre la température de 25°C, ce qui est suffisant pour vaporiser certains liquides. Leurs vapeurs peuvent servir à actionner des turbines spéciales, qui entraînent des génératrices produisant de l'électricité. De telles expériences ont déjà été réalisées et réussies.

Un jour, des panneaux solaires géants pourraient être installés dans l'espace, et ils enverraient vers des récepteurs terrestres l'énergie qu'ils captent.

La mer deviendra-t-elle notre plus grand récepteur d'énergie solaire?

Dossier 1 Capteurs

Collecteurs fixes	Températures atteintes
Bassin solaire	30 à 90°C
Capteur plan	30 à 90°C
Tubes à vide	50 à 200°C
Augets multiples	70 à 250°C

Des capteurs solaires assez simples (à droite) peuvent être très efficaces. Les petits bassins solaires sont peu coûteux, de bon rendement, et peuvent même être installés sur les toits. Le réflecteur à augets multiples est une reproduction simplifiée du grand réflecteur parabolique en forme d'auge; il sert souvent au chauffage des serres.

Les collecteurs solaires orientables (à droite) peuvent fournir des températures beaucoup plus élevées que les collecteurs fixes, mais ils sont plus coûteux à installer et à faire fonctionner. Ainsi donc, de nombreux collecteurs fixes, placés sur une grande surface, peuvent recueillir et fournir une plus grande quantité de chaleur solaire, à prix égal, que les collecteurs orientables, mais elle sera à une température moindre.

Collecteurs orientables	Températures atteintes
Collecteurs en auges	70 à 300°C
Réflecteur parabolique	200 à 900°C
Centrale à miroirs	200 à 1 400°C

Les tubes à vide sont des collecteurs de chaleur solaire construits à la façon des bouteilles thermos. Ils gardent la chaleur des rayons solaires qui traversent le verre des parois.

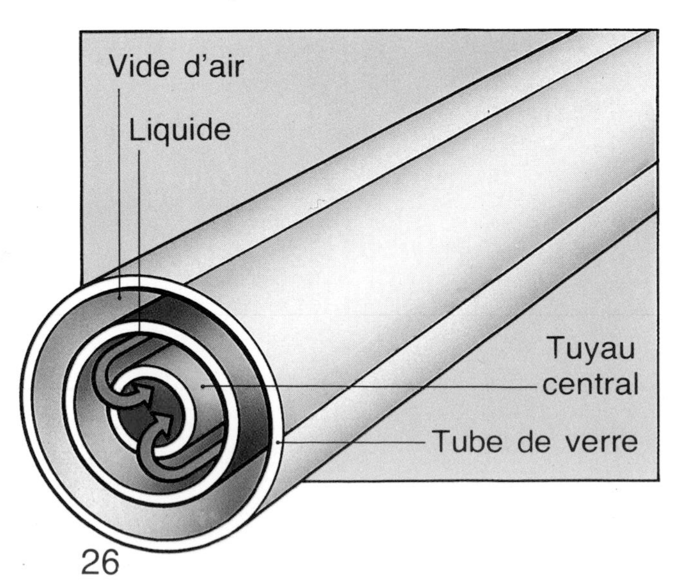

L'eau qui circule dans le tuyau central d'un tube à vide peut être chauffée jusqu'à 200°C par les rayons solaires. Leur chaleur est retenue dans le tuyau central par le vide qui l'entoure. C'est pourquoi elle s'accumule dans le tuyau.

Le gouvernement égyptien a mis en route un plan de captage de l'énergie solaire au moyen de tubes à vide. Cette énergie permet d'actionner des pompes à chaleur et de faire tourner des génératrices, pour fournir de l'électricité dans les régions isolées. Le plan est appelé « roi Tout », d'après le nom d'un pharaon de l'Égypte ancienne, Toutankhamon, qui adorait le Soleil comme un dieu.

Sais-tu que le premier hôpital qui fonctionne grâce à l'énergie solaire se trouve en Afrique ? Il est situé au Mali, en bordure du désert du Sahara, dans une région qui reçoit une abondance de rayons solaires. L'énergie recueillie par des cellules solaires y actionne des ventilateurs, l'installation d'air conditionné pour les unités de soins intensifs, des appareils de radiothérapie, des pompes à eau et d'autres équipements nécessaires. Mais un stockage de cette énergie doit être prévu, pour assurer le travail de nuit.

De nombreux appareils ménagers peuvent être actionnés par l'énergie solaire, par exemple les réfrigérateurs, les téléviseurs et les cuisinières.

Dans certains pays, des cellules solaires fournissent l'électricité pour le fonctionnement des téléphones. En Jordanie et au Niger, des cellules solaires sont utilisées pour les télécommunications.

En Chine, tu pourrais prendre un « bain solaire » dans un train. Un « train de bains » y circule en effet dans la région aride du Sin-k'iang, sur la ligne de chemin de fer qui relie cette région à la ville de Lan-chou. Le train comporte des installations de bains dont l'eau est chauffée par l'énergie solaire ; elles servent aux travailleurs du chemin de fer et aux populations des environs.

L'eau potable est rare en de nombreuses régions du monde. L'énergie solaire est utilisée en Grèce, en Union soviétique et en Arabie Saoudite pour changer l'eau de mer en eau potable.

De l'eau de mer est amenée dans des cuves peintes en noir, pour mieux absorber la chaleur, et des plaques de verre inclinées sont placées par-dessus. La chaleur des rayons solaires fait évaporer l'eau. Sa vapeur se condense sur la face intérieure du verre et coule dans des rigoles sous forme d'eau douce, tandis que le sel contenu dans l'eau de mer reste dans la cuve. L'eau douce qui sort par les rigoles est potable.

Une installation solaire de distillation de l'eau de mer

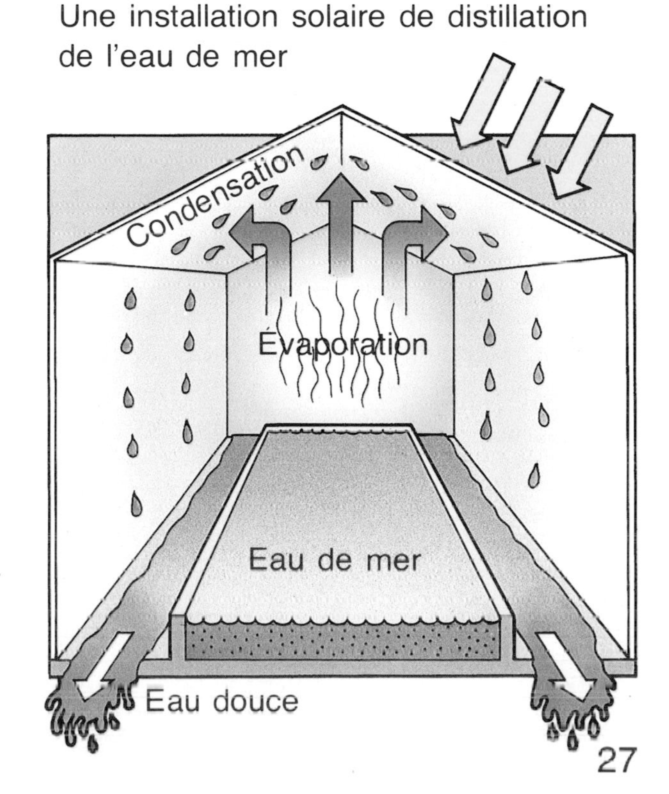

Dossier 2 L'ensoleillement

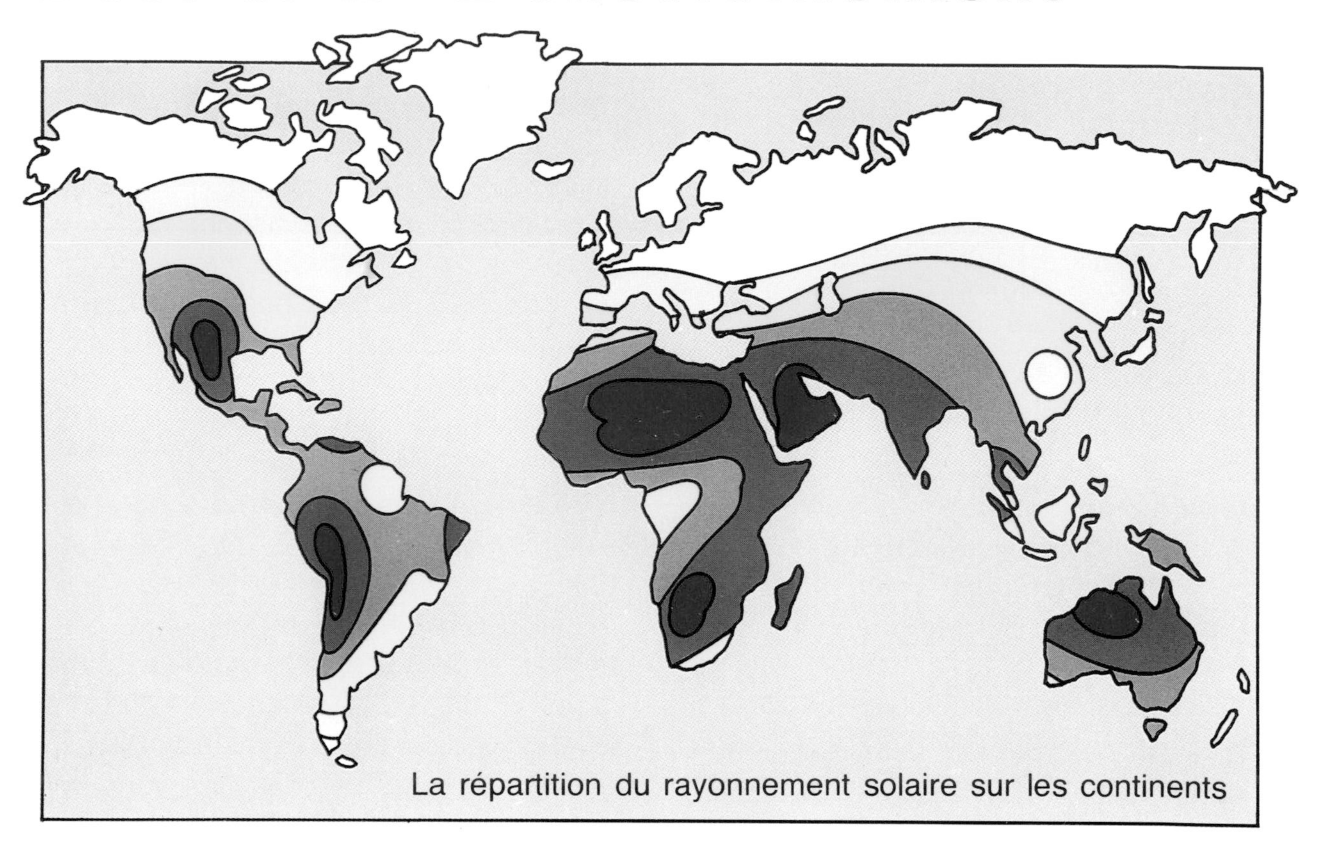
La répartition du rayonnement solaire sur les continents

La carte ci-dessus montre l'ensoleillement inégal des diverses régions du monde. Celles marquées en rouge reçoivent le plus de rayons solaires : la température moyenne des jours d'été y dépasse les 30°C. La plupart de ces régions très ensoleillées sont arides, incultes et généralement peu peuplées. Mais elles reçoivent des quantités considérables d'énergie solaire. Les régions qui reçoivent moins d'énergie solaire sont indiquées en brun foncé, puis brun clair, jaune, jaune pâle et blanc.

L'ensemble de notre planète reçoit plus d'énergie du Soleil que de tous les combustibles réunis : assez pour faire fonctionner 40 000 radiateurs électriques pour chaque habitant de la Terre.

L'Australie reçoit chaque année du Soleil 28 000 fois plus d'énergie que ses habitants n'en consomment. Même un pays à climat frais et très peuplé, comme le Royaume-Uni, reçoit une quantité d'énergie solaire 80 fois plus grande que celle employée par ses habitants à partir d'autres sources.

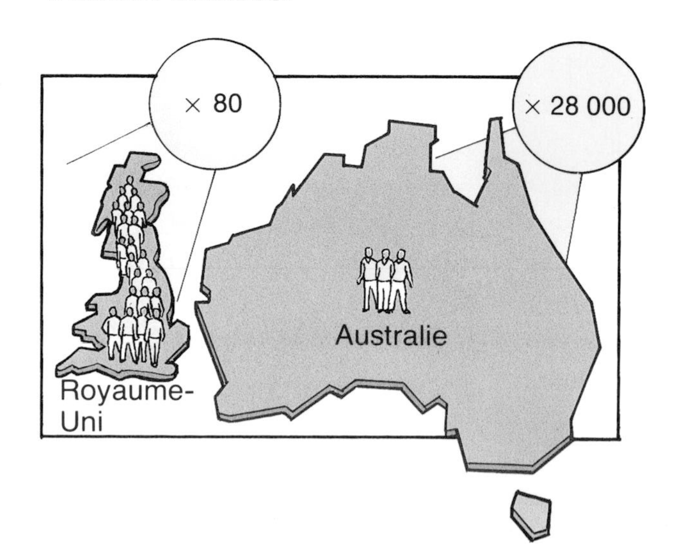

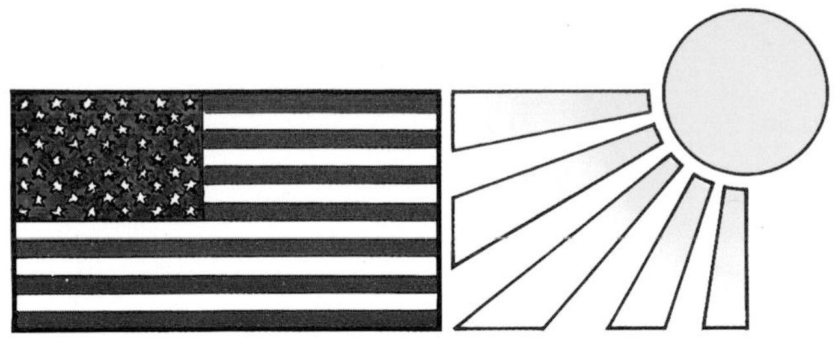

Les États-Unis dépensent plus que tout autre pays pour l'utilisation de l'énergie solaire. Une part de ces dépenses est employée à fournir de l'électricité à des régions isolées, mais la majeure partie est consacrée à de grands projets, tels que la réalisation de centrales solaires utilisant des techniques d'avenir.

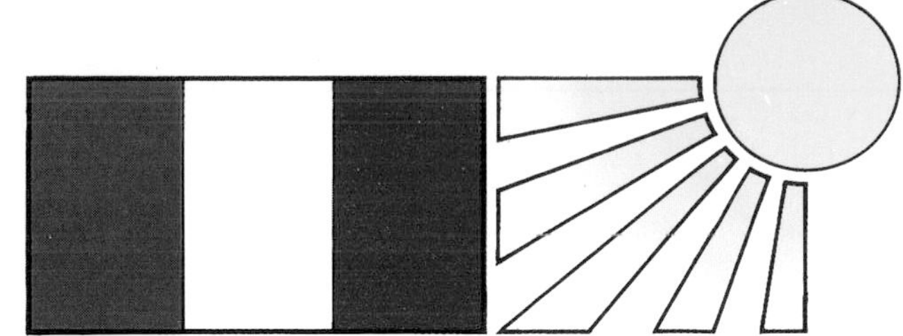

En France, le gouvernement a fait construire un grand four solaire dans les Pyrénées, et il accorde des subsides pour l'installation de capteurs solaires dans les maisons. En l'an 2000, un quart de toute l'énergie consommée en France pourrait provenir de sources d'énergie « renouvelables ».

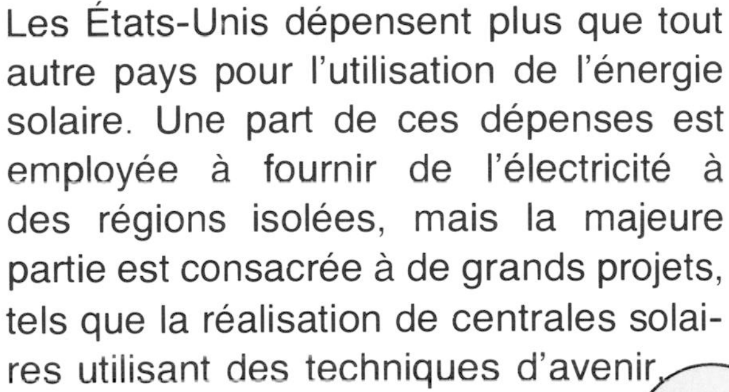

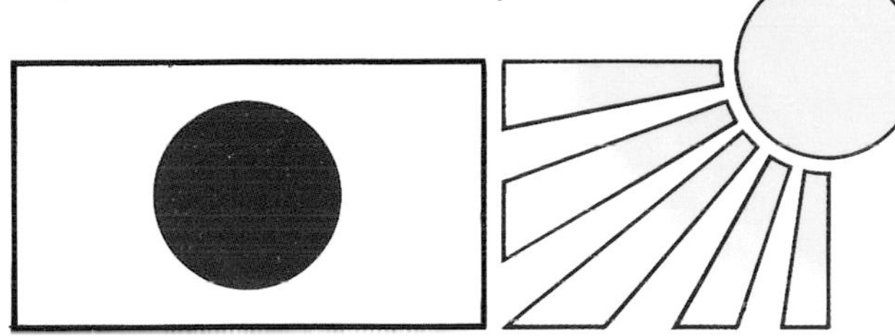

Le Japon a commencé à réaliser un programme appelé « Projet rayons solaires ». Il comprend des plans pour un four solaire à 800 miroirs. L'industrie japonaise produit de nombreux capteurs solaires, et beaucoup de ceux-ci sont déjà installés dans les maisons particulières par leurs propriétaires.

En Espagne, des plans sont en préparation pour installer trois grandes centrales solaires dans les montagnes, afin de fournir de l'électricité à des villages isolés. L'Espagne coopère aussi avec les États-Unis pour la construction d'un four solaire d'une puissance d'un million de watts (1 mégawatt).

L'Australie dispose déjà d'une « cité solaire », ou zone spécialement aménagée à Brisbane : l'énergie solaire y chauffe les maisons, les piscines et les barbecues. Les ventes de capteurs solaires sont importantes dans toute l'Australie : l'ensoleillement de ce continent est en effet considérable.

Israël réalise chaque année une économie de 2 millions de dollars, grâce à l'utilisation de l'énergie solaire. Celle-ci sert au chauffage de l'eau dans 20 % des maisons de la campagne. Il existe des projets pour l'installation de bassins solaires sur les toits des nouvelles maisons et usines, et des autres édifices.

Glossaire

Bassin solaire. Bassin spécialement préparé pour absorber la chaleur des rayons solaires dans l'eau qu'il contient. L'eau chaude obtenue sert au chauffage ou à la production d'électricité.

Capteur plan. Récipient plat et fixe où passe de l'eau, qui est chauffée par les rayons solaires.

Cellule photovoltaïque. Nom technique de la cellule solaire ou photopile. Celle-ci transforme directement l'énergie des rayons solaires en électricité.

Chauffage solaire actif. Celui qui recueille la chaleur solaire par des capteurs, en vue du chauffage.

Chauffage solaire passif. Celui qui est réalisé par la construction spéciale des maisons dans ce but.

Collecteur orientable. Réflecteur orienté vers le Soleil par un mécanisme, tout au long du jour.

Génératrice. Appareil qui transforme un mouvement mécanique, par exemple de rotation, en un courant électrique. Il sert dans les centrales électriques.

Héliostat. Miroir mobile qui réfléchit les rayons solaires dans une direction fixe durant tout le jour.

Réflecteur. Appareil à surface brillante, qui renvoie les rayons solaires vers un collecteur ou récepteur.

Watt (W). Unité servant à mesurer la puissance d'un courant électrique. Une lampe d'éclairage ordinaire consomme de 60 à 100 watts. Un kilowatt (kW) égale 1 000 watts, et un mégawatt (MW) un million de watts.

Index

Remerciements

Les éditeurs remercient les personnes et les organismes suivants, pour l'aide qu'ils ont apportée dans la réalisation de cet ouvrage:
Friends of the Earth, Christian Aid, Geoffrey Barnard (Earthscan), Energy Technology Support Unit (ETSU, Harwell), Lucas Energy Systems, Sandia National Laboratories USA, SERI (Solar Energy Research Institute) USA, Shell Briefing Service UK, Sir William Halcrow Ltd.